Encore Mafalda!

QUINO

QUINO

Encore Mafalda!

Adaptation graphique de Christine Grimaud
Mise en couleurs de Sophie de Valukhoff
Traduction française de J. et A.-M. Meunier

Encore Mafalda !

Bien sûr, c'était prévu, incontournable. Voici une nouvelle livraison de 176 gags, réflexions, observations, impertinences d'une des plus jeunes et plus célèbres petites filles de la BD mondiale.

Eh bien, savez-vous que Mafalda est née d'une campagne publicitaire (abandonnée) vantant les mérites d'une marque d'électro-ménager ? La vérité sort de la bouche des enfants...

Cela dit son père, Quino, accumule palmes d'or et grands prix d'humour à travers le monde.

6

JE PARIE QUE C'EST LA PREMIÈRE FOIS QUE T'EN VOIS UN AUSSI HUMIDE!

IL N'EST PAS QUESTION D'AFFIRMER QUOI QUE CE SOIT, MAIS DE RESPECTER L'IDÉE QUE J'EN AI!

D'ACCORD! C'EST CE QUE JE DIRAI : MON PÈRE GAGNE ASSEZ D'ARGENT POUR NOUS FAIRE VIVRE DÉCEMMENT!

QUELLE FARCE!

7

DIS-MOI, MANOLI-TO, COMBIEN GAGNE TON PÈRE ?...

BEN... C'EST-A-DIRE QUE... TU SAIS... LE COMMERCE NE VA PAS TRÈS FORT EN CE MOMENT !

ÇA T'ENNUIE QUE JE TE DEMANDE COMBIEN GAGNE TON PÈRE ?

BIEN SÛR QUE NON.

ÇA NE ME DÉRANGE ABSOLUMENT PAS !

TE RENDS-TU COMPTE DU NOMBRE DE PROBLÈMES QU'IL Y A DANS LE MONDE, FELIPE ? MAIS IL ME SEMBLE QUE LES ADULTES FONT DES PROJETS

DES PROJETS ?

QUEL GENRE DE PROJETS ?

11

12

IL Y A DU MALAISE FILIAL DANS L'AIR !

COMMENT VEUX-TU QU'ON OFFRE ÇA A' NOS MÈRES ?!

ÉVIDEMMENT, SI VOUS VOUS METTEZ A' JOUER LES INTELLECTUELS !

RIEN DU TOUT !

ÉVIDEMMENT, SI ÇA MARCHAIT, LA MAISON PHILIPS FABRIQUERAIT DES BOUTEILLES !

14

LÀ, TU ES PEUT-ÊTRE UN PEU OPTIMISTE!

QUINO

ET BIEN, VOILÀ: JE ME SUIS DIT: QU'EST-CE QUE TU VOUDRAIS QU'ON T'OFFRE SI TU ÉTAIS MAMAN?

MAIS, BON DIEU, C'EST ÉLÉMENTAIRE! J'AI TROUVÉ!

ENCORE QUE JE NE SACHE PAS TRÈS BIEN CE QUE MA MÈRE POURRAIT FAIRE DE LA COLLECTION COMPLÈTE DU "COW-BOY SOLITAIRE".

QUINO

C'EST UN JOUR MERVEILLEUX!

OUI... MAIS LE FOND DE L'AIR EST HUMIDE!

QUINO

15

FIIIIIIIIZ-FIIIIIIZ!
GOOOK!
DOÏNNG!

ZUT ALORS! LA RADIO A DES PARASITES!

ÇA Y EST! ENFIN UN VÉRITABLE CONCENTRÉ DE POTAGE...

QUAND QUELQU'UN EST AUSSI CRÉTIN,

CLIC!

HIER, ON M'A PUNIE PARCE QUE J'AVAIS MANGÉ DES CHOCOLATS SANS PERMISSION.

MOI, QUAND ON M'ENVOIE EN PÉNITENCE, J'IMAGINE QUE LA MAISON VA BRÛLER ET QUE C'EST MOI QUI SAUVE MES PARENTS ET QU'APRÈS, ILS VIENNENT ME DEMANDER PARDON EN PLEURANT...

VOUS VENEZ D'ENTENDRE UN CONCERT DE MUSIQUE CONCRÈTE.

ET BIEN! C'EST L'ART QUI A DES PARASITES!

CRÉTIN!

...IL MÉRITE UNE INSULTE EN CINÉRAMA!

MAFALDA, EST-CE QUE TU AS VU MA BOÎTE D'ALLUMET...

OUI, TIENS! C'EST MOI QUI L'AVAIS.

...DE QUOI PARLIONS-NOUS?

18

"IL ÉTAIT SI GENTIL! ET IL EST MORT! ET ON L'AVAIT PUNI! ET..."

SNIFF!

MON PÈRE DIT QUE DES PUNITIONS COMME ÇA, ÇA PREND TROP DE TEMPS; C'EST COMME LES CHÈQUES.

LUI, IL PRÉFÈRE DONNER DES GIFLES AU COMPTANT!

ET PAR DESSUS LE MARCHÉ... ÇA!

19

AU FRIGIDAIRE?

LES PAUVRES! Y A DES CHÔMEURS QUI DOIVENT AVOIR DRÔLEMENT MAL AUX DENTS EN CE MOMENT!

ÉVIDEMMENT, MAFALDA, QU'EST-CE QUE TU CROIS?

QU'ILS ÉTAIENT TOUS PARTIS AUX ÉTATS-UNIS!

MON PÈRE M'A RACONTÉ SA SÉANCE CHEZ LE DENTISTE.

JE VOUDRAIS BIEN VOIR COMMENT C'EST, UN CABINET DENTAIRE!

OH! TU SAIS... CE N'EST RIEN D'ORIGINAL.

RACONTE, MAFALDA, RACONTE! IL A EU TRÈS MAL, TON PÈRE, CHEZ LE DENTISTE?

NON, PARCE QUE LE DENTISTE A UNE FRAISE À ULTRASONS QUI NE FAIT PAS MAL.

CELUI QUI TRA-VAILLE SAIT QUE CELUI QUI NE FAIT RIEN PASSE UN SA-LE MOMENT.

ET CELUI QUI NE FAIT RIEN SE PLAINT.

SUSANITA A DÉJÀ RACONTÉ TANT DE FOIS SON HISTOIRE À LA NOIX!

"...ET LE PRINCE PRIT CENDRILLON DANS SES BRAS ET...

...DANSA AVEC ELLE TOUTE LA SOIRÉE ...SA AVEC ELLE TOUTE LA SOIRÉE ...SA AVEC ELLE TOUTE LA SOIRÉE...

AINSI VOILÀ TA PE-TITE FILLE? QU'ELLE EST MIGNONNE!

DIS-MOI, PETITE, QUI TU PRÉFÈRES, TON PAPA OU TA MAMAN?

PARCE QUE NOUS SOMMES EN PLEINE CRISE SOCIALE ET SYNDICALE! VOILA' CE QUI SE PASSE DANS CE PAYS!

MAIS, ON PARLAIT DE CE QUI SE PASSE CHEZ LE DENTISTE!

Tic Tic

"...JUSQU'A' CE QUE L'HORLOGE SONNE LES DOUZE COUPS, ALORS CENDRILLON..."

ELLE A DÉJA' RACONTÉ TANT DE FOIS SON HISTOIRE, QU'ELLE EST **RAYÉE!**

VOUS SOUHAITEZ LA RÉPONSE "STANDARD", OU VOUS PRÉFÉREZ QUE J'APPROFON-DISSE?

BYE-BYE, LES FILLES!

SALUT, FELIPE!

IL EST TRÈS BIEN, FELIPE, NON?

EST-CE QU'IL EST PRISÉ EN EUROPE ET AUX ÉTATS-UNIS...

CE N'EST PAS POSSIBLE QUE LA SEULE CHOSE QUI T'INTÉRESSE ICI-BAS C'EST D'ÊTRE MAÎTRESSE DE MAISON!

DE NOS JOURS, LA FEMME EST APPELÉE À OCCUPER UNE PLACE DE PLUS EN PLUS IMPORTANTE!

LA SOUPE EST A' L'ENFANCE CE QUE LE COMMUNISME EST A' LA DÉMOCRATIE!

QU'EST-CE QUE TU VEUX DIRE PAR LA'?

BEN... QU'UNE CHOSE DOIT ÊTRE PRISÉE EN EUROPE ET AUX É-TATS-UNIS POUR ÊTRE BIEN.

DEMAIN, SANS FAUTE, JE COMMENCE UN RÉGIME CONTRE L'IMPORTANCE!

J'AI UNE HISTOIRE TRÈS DRÔLE!

RACONTE!

UN SOUS-MARIN EST EN PLONGÉE, ET IL DESCEND SI BAS, SI PROFOND QUE LES POISSONS SE DEMANDENT : "C'EST UN SOUS-MARIN OU C'EST LA MONNAIE NATIONALE?"

QUAND JE SERAI GRANDE, JE SERAI INTERPRÈTE À L'O.N.U.

AINSI JE CONTRIBUERAI À LA PAIX DANS LE MONDE!

J'APPRENDRAI L'ANGLAIS, LE RUSSE.

C'EST BIEN, TU PERDS AVEC LE SOURIRE, SUSANITA!

IL Y EN A, QUAND ILS PERDENT, FAUT VOIR DANS QUEL ÉTAT ILS SE METTENT!

29

30

31

J'AI APPRIS QUE TU T'INTÉRESSAIS AUX RÊVES, MAFALDA.

DERNIÈREMENT TOUS MES RÊVES ONT TOURNÉ AUTOUR DU PROBLÈME DE LA SOLITUDE DE L'INDIVIDU!

RIEN QUE ÇA!

EST-CE QUE JE VOUS AI DÉJA' DIT QUE QUAND JE SE-RAI GRANDE J'AU-RAI DES ENFANTS?

TRENTE-SIX MILLE FOIS!!

PAPA?

UUUH?

JE NE PEUX PAS DORMIR!

COMPTE LES MOUTONS!

PARFAITEMENT! LE PROBLÈME TERRIBLE ET ANGOISSANT DE LA SOLITUDE DE L'INDIVIDU... JE N'EXAGÈRE PAS!

ENFIN....PEUT-ÊTRE QUE J'EXAGÈRE UN PEU EN RÉALITÉ , J'AI RÊVÉ DU "*COW-BOY SOLITAIRE*".

JE SUIS HEUREUSE D'EN PARLER AVEC DES GENS SI BIEN INFORMÉS !

PAPA....

MMM?

DIS-MOI, EST-CE QU'ON VEND DES ORDINATEURS À CRÉDIT ?

S'IL TE PLAIT, MANOLITO, VOUDRAIS-TU NE PAS ANTICIPER ET RETIRER TON COUDE DE MES CÔTES!

QUOI, TES ENFANTS?

ILS TIENDRONT?

UN FUSIL?

C'EST TERRIFIANT DE SAVOIR QUE DANS TRENTE ANS, LE MONDE VA ÊTRE ARCHI-SUR-PEUPLÉ PAR SEPT MILLIARDS D'HABITANTS!

OUI... ET À CE MOMENT-LÀ, NOUS AURONS L'ÂGE DE NOS PARENTS!

ET LORSQUE LA POPULATION MONDIALE ATTEINDRA SEPT MILLIARDS... NOUS SERONS SERRÉS COMME DES SARDINES!!...

ALLONS, MAFALDA! NE T'EN FAIS PAS! LE PROBLÈME N'EST PAS LE NOMBRE DE GENS!!

LA BARBE!

POURQUOI TU TE FÂCHES, SUSANITA?

C'EST À CAUSE DE CETTE HISTOIRE DE SURPOPULATION!

ALORS, NOUS SE-RONS NON SEULEMENT SERRÉS, MAIS VIEUX!

CE QUI COMPTE, C'EST QUE LE NOMBRE D'IMBÉCILES NE S'ACCROISSE PAS... ET IL N'Y A PAS DE RAISON QUE CELA ARRIVE...

TU AS RAISON FELIPE. JE N'Y AVAIS PAS PENSÉ! MERCI DE M'AVOIR RASSURÉE...

JE PENSE QUE JE NE SERAI PAS UN SI MAUVAIS PÈRE.

TOI AUSSI! MAIS QU'EST-CE QUE ÇA PEUT FAIRE SI LE MONDE EST PLUS PEUPLÉ QUE MAINTENANT?

C'EST QUE DANS UNE TELLE FOULE, LES INDIVIDUALISTES COMME MOI NE SAURONT PLUS OÙ METTRE LES PIEDS!

LÂCHEUSE! TU M'AS FOURRÉ DANS LE CRÂNE CETTE HISTOIRE DE SURPOPULATION ET MAINTENANT TU T'EN MOQUES!

QUEL RASOIR, MON DIEU!

221

QUAND CE MONDE SERA SURPEUPLÉ, ON MANQUERA DE NOURRITURE!

222

T'AS UN SIFFLET?

PAR CETTE FOUTUE CHALEUR, JE M'EN SERS À CAUSE DE MON PÈRE...

TON PÈRE? QU'EST-CE QUE TON PÈRE A À VOIR...

223

REGARDE, PAPA! TU AS PERDU UNE PETITE GRAINE!

DEPUIS QUAND TE SERS-TU DE TON PETIT DOIGT COMME ÇA?

38

39

40

...FAIRE TAIRE LES GENS ...APPUYER SUR LES TOUCHES...

...UN VRAI CADRE SUPÉRIEUR.

AAAAAH!...

AINSI LES CHÔMEURS, C'EST COMME LES LIVRES... ON LES MET À L'INDEX!

Y A-T-IL QUELQUE CHOSE DE PLUS FORT QUE CE DOIGT?

UNE PORTE!

41

MAIS REGARDE COMME IL EST RIDICULE POUR DIRE "OUI".

NI POUR L'ALLIANCE, NI POUR DIRE OUI, DISONS QUE CE N'EST PAS UN DOIGT TRÈS NUPTIAL!,

ELLES SONT EN PLASTIQUE, NON?

DONNEZ-MOI QUELQUE CHOSE CONTRE LA JAUNISSE!

PSSST!

QU'EST-CE QUE TU FAIS ICI? RETOURNE AU LIT COMPTER LES MOUTONS!

T'ES PAS FOU! A' PREMIÈRE VUE, ILS SONT SEPT MILLE!

43

QUE MANOLITO, BÊTE COMME IL EST, AIME LA SOUPE; ÇA NE M'ÉTONNE PAS! CE QUI ME MET HORS DE MOI, C'EST QU'ON VOUDRAIT NOUS FAIRE CROIRE QUE CEUX QUI N'EN MANGENT PAS NE GRANDIRONT PAS.

ALORS, TON FRÈRE VIENT DE TERMINER SON SERVICE MILITAIRE? PARLE-MOI DE LUI, MON CHER MANOLITO.

LES JEUNES FILLES DE LA BONNE SOCIÉTÉ L'INVITAIENT À LEURS SURPRISES-PARTIES, ET LUI, IL LES FAISAIT DANSER DANS SON BEL UNIFORME D'OFFICIER.

MANOLITO ÉTAIT SI CONTENT QUE SON FRÈRE AIT FINI SON SERVICE MILITAIRE!

ET ALORS?

SUSANITA LUI A DIT QUE C'ÉTAIT HONTEUX D'AVOIR UN FRÈRE DEUXIÈME CLASSE!

QUELLE BÊCHEUSE!

VOUS SAVEZ QUE MON FRÈRE A ENFIN FINI SON SERVICE MILITAIRE?

OUI. ET C'EST MÊME LA PLUS GRANDE FRAYEUR QUE NOUS AIENT FAITE LES MILITAIRES!

?

MON FRÈRE N'ÉTAIT PAS OFFICIER! IL ÉTAIT DEUXIÈME CLASSE!

QUELLE HORREUR!

SI ELLE ÉTAIT EN ISRAËL, ELLE FERAIT SON SERVICE MILITAIRE. ON VERRAIT CE QUE ÇA DONNERAIT!

JE SERAIS ANTISÉMITE!

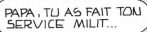

PAPA, TU AS FAIT TON SERVICE MILIT...

?

MON SERVICE MILITAIRE? ÉVIDEMMENT! JE ME SOUVIENDRAI TOUJOURS DU JOUR OÙ LE CAPORAL BEXIGA M'A SUCRÉ MA PERMISSION PARCE QUE JE N'AVAIS PAS SALUÉ...

233

À DIRE VRAI, ÇA ME FAIT UN PEU PEUR DE ME DIRE QU'UN JOUR IL FAUDRA QUE JE FASSE MON SERVICE MILITAIRE

ESPÈCE D'INCAPABLE! JE VAIS TE METTRE AU TROU!

234

TON FRÈRE A PEUTÊTRE ÉTÉ UN BON DEUXIÈME CLASSE, MAIS MOI, VOIS-TU, JE N'AIME PAS LA TROUPE!

DÉFENDS-TOI, MANOLITO! ON EST AVEC TOI!

LES SOLDATS, ILS SONT LAIDS ET TONDUS!

235

46

...ET LA NUIT OÙ, AU MOMENT DE PARTIR EN MANOEUVRES, NOUS AVIONS DÉCIDÉ DE FAIRE SEMBLANT DE DORMIR! AH, IL ÉTAIT FURIEUX LE CAPITAINE MORA, LUI QUI N'AVAIT DÉJÀ PAS BON CARACTÈRE! IL NOUS A TOUS MIS AU TROU! ALORS POUR SE VENGER ON...

...LUI A MIS SON LIT EN PORTE-FEUILLE! C'EST LÀ QUE L'ADJUDANT-CHEF BERNARD EST INTERVENU...CELUI-LÀ, C'ÉTAIT UN TYPE, IL...

DORS BIEN, MAFALDA...

EXCUSE-MOI MAMAN... JE NE SAVAIS PAS...

VOUS FERIEZ MIEUX DE VOUS ABSTENIR, SERGENT!

CIEL! LE "COW-BOY SOLITAIRE"!

TU AS ENTENDU, CETTE NUIT L'IDIOT QUI, À JE NE SAIS QUELLE HEURE, S'EST MIS À CRIER "HURRAH"!

N...NON, NON!

HA! HA! HA!

ÉVIDEMMENT, ELLE, ELLE PRÉFÈRE LA PÈGRE AUX CHEVEUX LONGS, COMME LES "BEATLES"!

HOLÀ!

ALORS, TU N'AIMES PAS LES "BEATLES", MANOLITO?

RIEN QU'A' ENTENDRE LEUR NOM, ÇA ME DONNE QUARANTE DE FIÈVRE!

236

COMMENT ÇA? TU N'ADMIRES PAS LES MILLIONNAIRES? ILS SONT MILLIONNAIRES, LES "BEATLES"!

SI VOUS CROYEZ QUE LES "BEATLES" VONT ME PLAIRE PARCE QU'ILS SONT MILLIONNAIRES, ALORS LA', VOUS VOUS TROMPEZ!

237

A' WALL STREET, LA', IL Y A DES MILLIONNAIRES! ET CEUX-LA', OUI, JE LES ADMIRE!

C'EST DANS COMBIEN DE JOURS, NOËL?

ATTENDS. AUJOURD'HUI, C'EST LE 13 DÉCEMBRE.

258

ALORS NOËL, CE SERA DANS...

MUM... EU ...ROI... ATRE...

BON, ET APRÈS? TU CROIS QUE ÇA VA CHANGER MON OPINION SUR LES "BEATLES", **HEIN?**

QU'EST-CE QUI SE PASSE AVEC LES "BEATLES"?

RIEN QU'À ENTENDRE LEUR NOM, ÇA ME DONNE TRENTE-SEPT DE FIÈVRE!

LES "BEATLES" NE FONT DANSER QUE LES JEUNES!

MAIS À WALL STREET, ILS FONT DANSER **TOUT** LE MONDE!!

...ET SANS GUITARE!

C'EST ÇA...DANS...

FLÛTE! IL ME MANQUE DES DOIGTS!

...DANS?

DANS MA CHAUSSURE!

VINGT-CINQ!

... VINGT...

... SSS...

PFH!

PFH!

AH! JE VOIS QUE TON POSTE DE RA-DIO AUSSI, IL EST "MADE IN JAPAN".

COMMENT ÇA "AUSSI"?

OUI. TU VOIS. C'EST MARQUÉ "MADE IN JAPAN".

MA LAMPE DE POCHE AUSSI, EL-LE EST "MADE IN JAPAN".

QUAND JE SERAI GRANDE, JE DEMANDERAI UNE BOURSE POUR ALLER AU JAPON.

UN PAYS QUI FABRIQUE TANT DE JOLIES CHOSES DOIT ÊTRE FANTASTIQUE!

ET PUIS LES JAPONAIS ONT TOUJOURS BEAUCOUP D'ENFANTS!

TU NE TROUVES PAS QUE LES JAPONAIS SONT PASSIONNANTS?

OH, SI! JE SAIS DES TAS DE CHOSES SUR EUX!

PAR EXEMPLE, POUR SE SUICIDER, ILS ATTRAPENT UN COUTEAU ET...

FFFGSGSSST!

ILS SE FONT IKEBANA!

COMMENT ÇA S'APPELLE CE QUE LES JAPONAIS SE FONT AVEC UN COUTEAU POUR SE SUICIDER?

"HARA-KIRI!" POURQUOI?

PARCE QUE J'AI SOUTENU A' MAFALDA QUE ÇA SE DISAIT "IKEBANA".

C'EST PAS GRAVE. VA LA VOIR ET DIS-LUI: "MAFALDA, JE ME SUIS TROMPÉ. TU AVAIS RAISON".

CELLE-LÀ ET SES ENFANTS!

AU CAS OÙ TU NE LE SAURAIS PAS, LE JAPON EST CE QU'IL EST GRÂCE À SA PRODUCTION INFANTICOLE!

MAIS NON! L'IKEBANA, C'EST L'ART DE DISPOSER LES FLEURS!

DE DISPOSER LES FLEURS?

CE SONT LES CROQUE-MORTS QUI S'EN OCCUPENT, IDIOTE!

JE SAIS; C'EST DUR DE RECONNAÎTRE QU'ON A EU TORT!

PLUS QUE DUR!

C'EST L'HARA-KIRI DE L'AMOUR-PROPRE!

KIMONO HITACHI FUJI-YAMA HARA-KIRI MINOLTA HIRO-HITO ?

NOËL APPROCHE. IL FAUT PENSER AUX CADEAUX.

OUI, JE VAIS DONNER DES BRE-TELLES À MON PÈRE.

ÇA VA METTRE UN PEU D'ÉLASTICITÉ DANS NOS RAPPORTS.

ENFIN, MON DIEU, ENFIN!

QU'Y A-T-IL, MA-FALDA?

NOËL ARRIVE, ET IL ARRIVE POUR TOUT LE MONDE, SANS DISTINCTION! TU TE RENDS COMPTE!

KARATÉ HIROSHIMA GEISHA! SAMURAÏ IKEBANA?

ET APRÈS, ILS VIENNENT NOUS PARLER D'UNE MEILLEURE COMPRÉHENSION ENTRE ORIENT ET OCCIDENT!

PARCE QUE MON PÈRE, QUAND IL EST EN COLÈRE CONTRE MOI, IL DEVIENT, COMMENT DIRE ? TRÈS...

...RIGIDE ?

NON...DUR DE LA CEINTURE!

ET ALORS?

TU NE TE RENDS PAS COMPTE ?

DE QUOI?

ENFIN QUELQUE CHOSE ARRIVE QUI N'EST PAS RÉSERVÉ AUX CADRES SUPÉRIEURS!

55

JOYEUX NOËL À TOUS LES PEUPLES DE L'OCCIDENT!

JOYEUX NOËL À TOUS LES PEUPLES DE L'ORIENT!

248

TIENS, VOILÀ MAFALDA QUI RÉFLÉCHIT! ELLE VA ENCORE ME POSER UNE DE SES QUESTIONS!

"PAPA...POURQUOI ÇA ET PAS ÇA?"

249

DIS-MOI, PAPA, ELLE EXISTE L'ANNÉE PROCHAINE?

QUI EXISTE?

250

L'ANNÉE PROCHAINE, ELLE EXISTE VRAIMENT? OU BIEN C'EST UNE DE CES CHOSES QU'ON PROMET ET QUI NE VIENT JAMAIS?

DIS!

56

... OUS LES PEUPLES DE L'ORIENT...

ÇA A REBONDI SUR CE SACRÉ RIDEAU DE FER!

AAAAAAH!...

JE COMMENCE À VOIR LE RÔLE IMPORTANT QUE JE JOUE DANS LE MÉTABOLISME DE CETTE FAMILLE.

NERVO CALM

MAIS, MAFALDA, COMMENT VEUX-TU QU'ELLE N'EXISTE PAS L'ANNÉE PROCHAINE?

TU L'AS VUE, TOI?

JE ME DEMANDE COMBIEN AURA DE MOIS L'ANNÉE QUI VIENT?

QUELLE QUESTION! DOUZE! TU T'ATTENDS À QUOI?

J'AI L'IMPRESSION QUE L'ANNÉE NOUVELLE VA ÊTRE PIRE QUE TOUT CE QU'ON PEUT IMAGINER...

QU'EST-CE QUI TE FAIT PENSER ÇA?

UNE EXPRESSION AUSSI ÉCULÉE QUE "BONNE ANNÉE" NE PEUT CONVAINCRE QUE L'ANNÉE PROCHAINE SERA MEILLEURE QUE CELLE-CI.

ET QU'EST-CE QU'IL FAUDRAIT, OUI, SELON TOI?

VOICI VENIR L'ANNÉE NOUVELLE! CE SERA UNE ANNÉE GAZEUSE ET 100% NATURELLE

A UNE ANNÉE *COMPACTE!*

AS-TU ENTENDU UNE SEULE CHANSON OU VU UNE SEULE AFFICHE QUI VANTE LA QUALITÉ DE L'ANNÉE QUI VIENT ?

À VRAI DIRE, NON !

ET BIEN ALORS! QU'EST-CE QU'ON PEUT ATTENDRE D'UNE ANNÉE SI MAL PROMOTION-NÉE ?

TU CROIS QUE ÇA NE STIMULERAIT PAS LES GENS ÇA ?

NON.

ET BIEN, MOI NON PLUS !

LA QUALITÉ DE SES MOIS FAIT QUE L'ANNÉE NOUVELLE LE SERA PLUS QU'UNE AUTRE! RETENEZ ÇA: ♪"L'ANNÉE NOUVELLE"♪

254

CE N'EST PAS ÇA!

COMME LES AGENDAS À LA MODE, UTILISEZ "L'ANNÉE NOUVELLE"!

ON A RÉSOLU LE PROBLÈME DE LA FAIM ET DE LA PAUVRETÉ DANS LE MONDE?

255

ON A SUPPRIMÉ LES ARMES NUCLÉAIRES?

TIC!

256

"ET VOICI LE JOURNAL PARLÉ: NOUVEAUX BOMBARDEMENTS DES DIGUES AU NORD-VIETNAM."

C'EST PAS MIEUX!

RIEN À FAIRE!

IL EST DONC ÉVIDENT QUE LA SEULE CHOSE À DIRE À PROPOS DE L'ANNÉE NOUVELLE, C'EST *"BONNE ANNÉE"*.

OUI??

J'AI L'IMPRESSION QUE NON, MAFALDA.

ET ALORS, POURQUOI DIABLE AVOIR CHANGÉ D'ANNÉE!?

TIC!

ON LEUR DONNE UNE ANNÉE NOUVELLE ET LE PREMIER JOUR, ILS LA CASSENT!

HEUREUSEMENT QUE LE PÈRE NOËL SAIT TOUT, SINON IL NE SAURAIT JAMAIS CE QUE NOUS LUI DEMANDONS, NOUS LES ANALPHABÈTES!

ET BIEN! PAS TOI? TU N'ES PAS É-NERVÉ? QU'EST-CE QUE TU AS?

DES CACHETS DE "NERVO-CALM".

C'EST VRAI, QUOI... LA GÉRONTOCRATIE A DES LIMITES...

IL EST BEAU TON CAMION! C'EST LE PÈRE NOËL QU'TE L'A APPORTÉ?

OUI.

IL A BIEN FAIT SON MÉTIER DE PÈRE NOËL.

OUI. DOMMAGE QUE J'AIE BIEN FAIT MON MÉTIER D'ENFANT!

IL EST BEAU! TU ME LE PRÊTES?

QUOI?

64

ON NE M'ENTEND PAS QUAND JE PARLE SOUS MON CASQUE ?!

?

TUP!

QU'EST-CE QUI SE PASSE ?

JE TE SUIS RENTRÉE DEDANS!

TU ES MONTÉ EN L'AIR ET PFIOUUUUUUUUUU! TU ES REVENU SUR TERRE.

68

QU'EST-CE QUE TU CROIS QU'ON PEUT FAIRE POUR LUI, MANOLITO ?

LE PISTONNER AUPRÈS DE LA NASA ?

QUOI ? J'ARRIVE TROP TARD ! TU N'ES PAS ALLONGÉ SUR LE SOL, BAIGNANT DANS TON SANG ?

NON, JE ME SUIS RELEVÉ ET ÇA VA TRÈS TRÈS BIEN !

C'EST UNE OFFENSE À LA CURIOSITÉ MORBIDE DU PUBLIC !

ALORS, MANOLITO ? TU AS JOUÉ, OUI ?

HÉÉÉÉÉÉ, MINUTE ! JE NE SUIS PAS UN I.B.M. !

JE NE SAIS PAS CE QUI M'A PRISE DE FAIRE UNE PARTIE AVEC LUI !

QUINO

69

LES GRANDS HOMMES DEVAIENT ÊTRE DES GENS TRÈS ÉQUILIBRÉS!

NON! NON!

UN SEUL, ÇA SUFFIT! PAS BESOIN DE ME LE DIRE EN STÉRÉO!

BANG! BANG! AAAAY!

?

BIEN JOUÉ, JOE!

OÙ AS-TU REÇU LE COUP? OÙ ÇA?

ICI! ICI!

...ET VOUS ÉTIEZ À CÔTÉ DE LUI?

OUUUUI!

JE TE PRÉVIENS QUE MANOLITO EST EN TRAIN D'APPRENDRE À JOUER AU BILBOQUET ET QUE C'EST UNE CATASTROPHE!

REGARDE!

C'EST DU PROPRE! EN VOILÀ DES FAÇONS D'AIMER TES AMIS! SI TU AIMAIS TES AMIS, TU LES DÉFENDRAIS!

274

MON FIL EST PEUT-ÊTRE UN PEU TROP LONG.

SSSS

J'AI BIEN PEUR D'ÊTRE À L'ORI-GINE D'UNE PSYCHOSE.

PARCE QUE LES AMIS, IL FAUT LES DÉFENDRE, TU ENTENDS ?

...ET PAS LES PRÉVE-NIR QUAND C'EST TROP TARD ! ANDOUILLE !

APRÈS, ON DIRA QUE C'EST LA TÉLÉVISION QUI NOUS DÉFORME!

HÉ !

TU N'ES PAS UN PEU JALOUSE QU'ILS NE SOIENT PAS À TOI ?

VOYONS... DIX JOURS À L'HÔTEL, REPAS NON COMPRIS ÇA FAIT...

BON DIEU!...

COMBIEN PRENDS-TU DE VACANCES ?

DIX JOURS, JE CROIS... ÇA DÉPEND DE PAPA.

IL DIT QUE LES PRIX DES BILLETS, C'EST DU DÉLIRE. QUE LES HÔTELS, C'EST DU DÉLIRE, ET TOUT LE RESTE C'EST DU DÉLIRE !

ON A APPRIS QUE TU PARTAIS EN VACANCES CE SOIR, ALORS ON T'APPORTE QUELQUE CHOSE POUR LE VOYAGE.

AU REVOIR, FELIPE, ET MERCI POUR LES CHOCOLATS !

ON TE REGRETTERA !

ET AVEC LES REPAS, ÇA FAIT...

QUI A RONGÉ MON CRAYON?!...

ET TOI, COMBIEN DE JOURS DE DÉLIRE TU TE PAIES ?

AU REVOIR, SUSANITA, ET MERCI POUR LES GÂTEAUX !

ON TE REGRETTERA !

AU REVOIR, MANOLITO, ET MERCI POUR LES BONBONS !

MON PÈRE VA LES REGRETTER !

C'EST BEAU, LA MER!

TIENS... ELLE S'EN VA!

HÉ! REVIENS!

79

ET DIRE QU'EN CE MO-MENT, IL Y A DES MIL-LIONS DE PERSONNES QUI TRAVAILLENT COM-ME DES FOUS! ET MOI ICI...

HI! HI!

284

QUELLE HORREUR! COMMENT EST-CE QUE JE PEUX AVOIR DE TELLES IDÉES! JE SUIS UN ÉGOÏSTE!

285

TU M'AS ENTENDUE?

286

L'AVENIR C'EST PAR LÀ!

A MOINS QUE L'AVENIR SOIT SI MOCHE, QU'ELLE EN REVIENNE!

HORREUR DEPUIS LE JOUR OÙ J'AI CRU QUE C'ÉTAIT DE LA SOUPE!

NON... JE N'AI RIEN MANGÉ... LAISSEZ-MOI... JE VOUS EXPLIQUERAI...

VIENS, MIGUELITO! TU VOIS, LA MER, CE N'EST PAS DE LA SOUPE...

DES NOUILLES

PAUVRE MIGUE-LITO!

QU'EST CE QU'IL A?

DEPUIS QU'IL S'EST IMAGINÉ QUE LA MER ÉTAIT DE LA SOUPE, IL NE PEUT PLUS LA REGARDER SANS AVOIR MAL AU COEUR!

MAFALDA, EN VACANCES... FELIPE, EN VACANCES. SUSANITA, EN VACANCES. TOUT LE MONDE EN VACANCES!

ET MOI, JE TRAVAILLE. PENDANT QUE LES CIGALES CHANTENT, MOI, COMME LA FOURMI DE LA FABLE, JE PENSE À L'AVENIR!

TU L'AS TROUVÉ ICI?

OUAIS.

FAIS-VOIR!

88

MALGRÉ TOUTES LES BASSESSES DE CE MONDE, JE CROIS À L'AVENIR, ET TOI?

BEAUCOUP!

EN FIN DE COMPTE, C'EST NOUS LE FUTUR, LES NOUVELLES GÉNÉRATIONS!

PÉPÉ! TU AS VU LA JOLIE PETITE VOISINE QUE NOUS AVONS?

MH...

AIE!...

TU SAIS, PETITE, J'AI LE SENTIMENT QUE NOUS ALLONS NOUS ENTENDRE

90

SGLUSH!

LAISSE TOMBER... ÇA MARCHE PAS!

ET JE SUIS CONVAINCUE QUE NOUS CONSTRUIRONS UN MONDE MEILLEUR, SANS CONFLIT!

C'EST POUR ÇA QUE JE CROIS À L'AVENIR... ET TOI?

OUI... BEAUCOUP.

AH BON? VOUS AIMEZ LES BEATLES VOUS AUSSI?

MBE...

MBE, MBE... J'AI L'IMPRESSION QU'ON NE VA PAS S'ENTENDRE, MOI!

ALORS C'EST UNE ÉTOILE DE MER!... ET ELLE N'EST PAS TOMBÉE DU CIEL?

NON!

TU ES BIEN SÛR DE ÇA?

PLUS QUE SÛR!

MON DIEU!

QUAND JE PENSE QU'APRÈS DEMAIN NOUS RENTRONS À LA MAISON ...JE SUIS TOUTE TRISTE!

AUJOURD'HUI C'EST MON DERNIER JOUR DE VACANCES! LA SEULE CHOSE QUI ME CONSOLE C'EST DE SAVOIR QUE TU HABITES PRÈS DE CHEZ NOUS!

OUI!

JE TE PRÉSENTERAI À MES AMIS!

COMMENT! ELLE A DES AMIS!

VOILA'... FINIES!

REGARDER PAR LA FENÊTRE, C'EST COMME SI ON VOYAIT LE PAYS À LA TÉLÉVISION!

MANOLITO!

MAFALDA! COMMENT T'ONT ACCUEILLIE LES VAGUES?

NE M'EN PARLE PAS! ELLES N'ONT PAS ARRÊTÉ DE ME GIFLER! ET TOI, IC ÇA S'EST BIEN PASSÉ?

94

...ET MOI QUI CROYAIS ÊTRE **SON** AMI. VOILÀ QUE JE NE SUIS QU'**UN** PARMI TANT D'AUTRES!

VOUS ÊTES TOUTES LES MÊMES!

...MAIS QUEL DOMMAGE QUE LA TÉLÉ AIT DE MEILLEURS PROGRAMMES QUE LE PAYS!

PAREIL!

PLUS QUE QUEL-QUES JOURS, ET NOUS IRONS À L'ÉCOLE!

TU TE RENDS COMPTE, SUSANITA? ON VA APPRENDRE À LIRE, À ÉCRIRE, À COMPTER!...

309

TOI QUI AS FAIT UNE ANNÉE D'ÉCOLE, FELIPE, DIS-MOI, C'EST COMMENT?

310

MON PÈRE M'A RACONTÉ QUE QUAND IL ALLAIT À L'ÉCOLE, L'INSTITUTEUR CORRIGEAIT LES ENFANTS QUI NE VOULAIENT PAS TRAVAILLER...

ET CEUX QUI NE VOULAIENT PAS ALLER EN CLASSE, C'ÉTAIENT LES PARENTS QUI LEUR FLANQUAIENT UNE RACLÉE!

DIS-MOI, FELIPE, C'EST VRAI QUE LES INSTITUTEURS BATTENT LES ÉLÈVES?

PLUS MAINTENANT. AUTREFOIS, OUI, LES CHOSES ONT BIEN CHANGÉ.

ALORS MAINTENANT, CE SONT LES ÉLÈVES QUI BATTENT LES MAÎTR...

MAIS NON! ÇA VA PAS, LA TÊTE...

AU BOUT DU COMPTE, JE ME DEMANDE POURQUOI IL FAUT ALLER À L'ÉCOLE...

LES GENS DISENT BIEN QUELA MEILLEURE ÉCOLE, C'EST LA VIE! POURQUOI EN CHOISIR UNE AUTRE? DANS LA VIE ON APPRENDTOUT, NON? QU'EST-CE QU'ELLE A DE MAL, CETTE ÉCOLE DE LA VIE?

C'EST AINSI QUE L'EN-
FANCE DE MON PÈRE
FUT UN LONG PUGILAT!

QUINO

OUAIS! ON FAIT
DES RÉFORMES, MAIS
ON SE REFUSE À AL-
LER JUSQU'AU BOUT!

C'EST QUE LA REMISE
DES DIPLÔMES SE FAIT AU
CIMETIÈRE!

ELLES EN ONT DE LA CHANCE, LES MOUCHES, DE NE PAS ALLER A L'ÉCOLE! CE QUE J'AIMERAIS ÊTRE UNE MOUCHE!

VOLER À MA GUISE! PAS DE TABLE DE MULTIPLICATION À RÉCITER, PAS D'INSTITUTRICE À SUPPORTER, PAS...

314

MON PÈRE M'A DIT QUE MES FOURNITURES SCOLAIRES LUI AVAIENT COÛTÉ UNE FORTUNE...

315

...ET QUE S'IL AVAIT INVESTI CET ARGENT DANS LE COMMERCE, IL AURAIT RÉALISÉ 30% DE BÉNÉFICE.

JE SUIS BIEN CONTENT QUE MAFALDA AILLE À L'ÉCOLE!

316

C'EST VRAI. C'EST FORMIDABLE. NOUS AVONS UNE FILLE QUI VA À L'ÉCOLE.

TROIS FOIS UN, TROIS...
TROIS FOIS DEUX, SIX...
TROIS FOIS TROIS, NEUF...
TROIS FOIS QUATRE,...

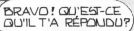

ALORS, JE LUI AI DIT QUE MON INSTRUCTION ET MA CULTURE SERAIENT À LONG TERME UN CAPITAL.

BRAVO! QU'EST-CE QU'IL T'A RÉPONDU?

QUE CE SERAIT VRAI SI JE N'AVAIS PAS UNE TÊTE À FAIRE BANQUEROUTE!

NOUS AVONS UNE FILLE QUI VA À L'ÉCOLE.

101

MAIS IL NE FAUT PAS ARRIVER EN RETARD À L'ÉCOLE LE PREMIER JOUR!

OÙ CHAQUE MAÎTRESSE VOUS DONNERA CE QUE TOUTE MÈRE DONNE À SES ENFANTS, JE VEUX DIRE : L'AMOUR.

OUF! J'AI BIEN CRU QU'ELLE ALLAIT DIRE "LA SOUPE"!

L'ÉCOLE DÉPEND DU MINISTRE DE L'ÉDUCATION NATIONALE?

OUI.

ET BIEN, MON VIEUX!

C'EST LA PREMIÈRE FOIS QUE JE ME SALIS À UN SI HAUT NIVEAU!

JE SUIS TRÈS SA-
TISFAIT DE MA MAÎTRES-
SE. C'EST UNE FEMME
GÉNÉREUSE, SYMPA-
THIQUE. ELLE EST... EL-
LE EST EXTRAORDINAIRE!

320

C'EST UNE BONNE
CHOSE QUE TU SOIS TOM-
BÉ SUR QUELQU'UN DE
BIEN, PARCE QUE LA MAÎ-
TRESSE ON LA VOIT TOUS
LES JOURS...

TU AS FAIT LA PAGE DE
BÂTONS QUE LA MAÎ-
TRESSE NOUS
A DONNÉE POUR
DEMAIN?

NON!
LA MAÎTRES-
SE EST FOLLE!

321

OU SOURDE! ON DI-
RAIT QU'ELLE N'A
JAMAIS ENTENDU CE
QUE TOUT LE MONDE
DIT; QUE DANS CE
PAYS, PERSONNE NE
VEUT TRAVAILLER!

(1171)

322

(1171)

105

DEMAIN, J'AURAI SIX ANS! COMME LE TEMPS PASSE!

REVENONS UN PEU EN ARRIÈRE: ICI, J'AI EU MES CINQ ANS; UN PEU PLUS LOIN, J'AI EU MES QUATRE ANS...

MAMAN M'AIME

maman m'aime

j'aime meman

J'AIME MAMAN

FÉLICITATIONS, MADEMOISELLE! JE VOIS QUE VOUS FORMEZ UNE FAMILLE TRÈS UNIE.

QUELLE DIFFÉRENCE Y A-T-IL ENTRE "PAPA", ET "PÈRE"?

AUCUNE...

SI CE N'EST QUE "PAPA" EST PLUS FAMILIER, ET "PÈRE" PLUS RESPECTUEUX

ÉCOUTE, SUSANITA, SI TU AS QUELQUE CHOSE CONTRE MOI, DIS-LE UNE FOIS POUR TOUTES!

326

PARFAITEMENT, JE TE LE DIS! ET TU SAIS CE QUE JE DIS?

J'AI APPRIS QUE TU AVAIS EU DES MOTS AVEC MANOLITO, SUSANITA.

AH! JE VOIS! IL EST VENU TE RACONTER L'HISTOIRE. QUELLE MAUVAISE LANGUE, C'EST BIEN DE LUI!

PAS ÉTONNANT D'AILLEURS. LA CRÉMIÈRE M'A RACONTÉ QUE SON PÈRE AVAIT EU UNE MÉCHANTE HISTOIRE, POUR DES BOUTEILLES, AVEC LA COOPÉRATIVE, À LA SUITE DE QUOI, IL S'EST FÂCHÉ AVEC SA FEMME. ET CETTE DAME, ON LA CONNAÎT!

327

OH, VOILÀ SUSANITA! DEPUIS QU'ELLE S'EST DISPUTÉE AVEC MANOLITO, QUAND ON EST AVEC EUX, ON SE CROIT À L'O.N.U.

328

BONJOUR, MAFALDA. TU SAIS CE QUE C'EST LA LARDANALYSE? C'EST DE LA PSYCHANALYSE MAIS POUR CEUX QUI ONT UNE TÊTE DE LARD! J'EN CONNAIS DES QUI FERAIENT BIEN D'ALLER VOIR UN LARDANALYSTE!

QUE TU ES UN IMBÉCILE!

AH, JE VOIS! ENCORE DES SOUS-ENTENDUS...

A' SON FILS AÎNÉ, QUI D'APRÈS CE QUE JE SAIS AURA 23 ANS EN MAI, IL DONNE L'ARGENT AU COMPTE-GOUTTES! ET CE DADAIS, TU SAIS QUELLE FIANCÉE IL A DÉGOTTÉE? UNE PETITE BRUNE DONT LE PÈRE VEND DES TERRAINS ET QUI A VÉCU 2 ANS AU BRÉSIL ET QUI EST PARENT D'UN ... ONCLE...

AVEC QUI ÉTAIS-TU, MAFALDA?

AVEC LA C.I.A.

EH BIEN! JE CROYAIS QU'AUJOURD'HUI LES IDIOTES FAISAIENT GRÈVE, MAIS ON DIRAIT QU'ELLES ONT REPRIS LE TRAVAIL!

MAIS EST-CE QUE L'O.N.U. ENDURERAIT CE QUE J'ENDURE?

C'EST ABSURDE QUE TU SOIS FÂCHÉ AVEC SUSANITA! ELLE EST QUELQUEFOIS PÉNIBLE, MAIS C'EST UNE BONNE AMIE. ON NE PEUT PAS SE FÂCHER AVEC SES BONS AMIS. ET PIS...

OÙ VAS-TU MANOLITO?

PORTER CETTE COMMANDE CHEZ SUSANITA.

COMMENT, VOUS N'ÊTES PAS EN FROID?

ET APRÈS? LES AMÉRICAINS ET LES RUSSES SONT BIEN EN FROID ET ÇA NE LES EMPÊCHE PAS DE COMMERCER. NON?

maman m'aime

j'aime maman

SNIF SNIF

...HMM, ET PIS...ÉVIDEMMENT, SI ON AVAIT UN TYPE COMME PELÉ, NOTRE FOOTBALL NE SERAIT PAS CE QU'IL EST, ET NOUS NE FERIONS QU'UNE BOUCHÉE DU REAL MADRID ET DE L'INTER...

...EH BIEN, C'EST LA MÊME CHOSE ENTRE NOUS!

À CECI PRÈS QUE L'HUMANITÉ N'EN A PAS MARRE DE VOS GAMINERIES!

DE DEUX CHOSES L'UNE, MAMAN...

OU TU ARRÊTES DE FAIRE DE LA SOUPE, OU J'ARRÊTE D'ÉCRIRE DES HYPO-CRISIES!

Sa pipe fume. Oui, la pipe de papa fume.

CE QU'IL Y A DE BIEN QUAND ON VA À L'ÉCOLE, C'EST QU'ON PEUT AVOIR DES CONVERSATIONS LITTÉRAIRES.

CRÉTINS! IL VA FALLOIR QUE JE RÉSOLVE CE MAUDIT PROBLÈME POUR DEMAIN MATIN!

CLAC!

"SI UN MAÇON POSE CENT BRIQUES EN UNE HEURE, COMBIEN EN POSE-T-IL EN DEUX HEURES ET DEMIE?"

@#*

...ET TOUT LE MONDE SAURA QUE TU ME MALTRAITAIS, PARCE QUE PARMI LES TRISTES ANECDOTES DE MON ENFANCE, IL Y AURA CELLE-CI!

BONK!

VAS-Y!! CONTINUE! IL ME MANQUE UN CHAPITRE!

Ema entre; elle voit la table du salon.

MAMAN ? LE SALON, C'EST QUELLE PIÈCE ?

335

RIEN À FAIRE! JE NE SAIS TOUJOURS PAS LIRE LE JOURNAL!

LA SEULE CHOSE QUE J'AI APPRISE JUSQU'À MAINTENANT À L'ÉCOLE, C'EST QUE UN TEL AIME SA MAMAN ET QUE SA MAMAN MANGE DU MELON!

336

JE LANCE UN AP-PEL EN FAVEUR DU DÉSARMEMENT MONDIAL!

CE GENRE D'APPEL, DE HAUTES PERSON-NALITÉS EN FONT À TOUT INSTANT, QUI EN FAIT CAS?

337

114

LE LIVING.

AH

POURQUOI DIABLE ON N'ÉCRIT PAS LES LIVRES EN FRANÇAIS?

ET MOI, CE QUI M'INTÉRESSE, C'EST CE QUE FAIT NIXON OU FIDEL CASTRO!

MAIS ON DIRAIT QUE NIXON N'EST PAS AIMÉ PAR SA MAMAN ET QUE FIDEL CASTRO NE MANGE PAS DE MELON.

PERSONNE.

MAIS ÇA NE COÛTE RIEN... ET CES HAUTES PERSONNALITÉS ET MOI FAISONS BONNE FIGURE.

...VOUS VENEZ D'ENTENDRE NOTRE BULLETIN D'INFORMATIONS MONDIALES.

AAAAH!

?

ALLONS, MANOLITO, UN MOT QUI COMMENCE PAR "P"

pa
pe
pi
po
pu

339

AÏE! IL EST CAPABLE DE DIRE LE GROS MOT QUE...

LA TRACTION ARRIÈRE, C'EST MIEUX QUE LA TRACTION AVANT!

MAIS TOI, TU N'AS PAS DE MARCHE ARRIÈRE.

340

ET PUIS LE MIEN, IL CONSOMME MOINS. AVEC UNE TASSE DE CAFÉ AU LAIT, J'AI DE QUOI ROULER TOUTE LA MATINÉE!

AH, JE PRÉFÈRE!
JE CROYAIS QUE C'ÉTAIT
LE MONDE QUI GÉMIS-
SAIT.

POLITIQUE.

EN PLEIN DANS
LE MILLE!

TANDIS QUE TOI, AVEC
TA PATINETTE AMÉLIDRÉE,
À DIX HEURES, CRAC!
UN SANDWICH!

PAS VRAI?

OH! ÇA VA! D'ABORD
JE ME REFUSE À PARLER
MÉCANIQUE AVEC LES
FEMMES!

117

SALUT!

NON

COMMENT TU T'APPELLES?

NON

J'AI UN BISCUIT, T'EN VEUX?

À Mademoiselle Mafalda (point) Chère Mademoiselle (virgule) Étant donné...

... que la soupe est (tiret) comme chacun sait (tiret) une chose infecte (virgule) nous

C'EST FAIT!

YIP! YIP! YIP!

J'AI EFFACÉ PÉKIN, LE PENTAGONE ET LE KREMLIN! ON VA POUVOIR VIVRE EN PAIX!

CRUNCH GULP!

NON

LE PREMIER QUI VIENT ME PARLER DE COMMUNICATION, JE LUI CASSE LA FIGURE.

vous serions obligé de ne pas la manger (point) veuillez agréer...

MAFALDA! TU VAS MANGER CETTE SOUPE!

IL A FALLU QUE TU INTERROMPES LA DICTÉE DE MA CONSCIENCE!

YIP! YIP!

J'AVAIS OUBLIÉ LE MOYEN-ORIENT!

119

J'AI APPRIS QUE LES ENFANTS FORMAIENT PLUS DE LA MOITIÉ DE LA POPULATION MONDIALE

ET A' QUOI ÇA NOUS SERT?

344

MAINTENANT, A' RIEN, MAIS DANS TRENTE ANS, C'EST NOUS QUI SERONS EN POSTE, QUI FERONS TOUT ET LE MONDE SERA ENTRE LES MAINS DES ENFANTS!

FANTASTIQUE! ILS DISENT QU'AVANT DIX ANS; RUSSES ET AMÉRICAINS SERONT INSTALLÉS SUR LA LUNE!

345

QUELLE CHANCE POUR LES SÉLÉNITES!

QUE FAIS-TU MAFALDA?

JE VAIS ENVOYER UN NOUVEAU MESSAGE POUR LE DÉSARMEMENT

346

ENCORE? A' QUOI BON SI PERSONNE NE TE RÉPOND!

MAIS MON VIEUX ! DANS TRENTE ANS NOUS NE SERONS PLUS DES ENFANTS !

TOI, TU CHERCHES TOUJOURS À ME DÉMORALISER !

LES SÉLÉNITES N'EXISTENT PAS.

JUSTEMENT !... QUELLE CHANCE POUR LES SÉLÉNITES !

J'EXIGE LA PROSCRIPTION IMMÉDIATE DES ARMES NUCLÉAIRES !!

RÉPONSE PAYÉE !

CETTE FOIS, S'ILS NE RÉPONDENT PAS !

C'EST PAS UNE VIE! TOUJOURS ENFERMÉ DANS LES VILLES!

COMME JE VOUDRAIS ÊTRE PARMI LES ARBRES, À LA CAMPAGNE...

...AVEC DES VACHES QUI MEUGLENT DANS LE LOINTAIN!

SALUT, SUSANITA. TU AS FAIT LES DEVOIRS QUE LA MAÎTRESSE NOUS A DONNÉS POUR DEMAIN?

348

NON, PARCE QUE MALHEUREUSEMENT, DANS CE PAYS, LES GENS NE VEULENT PAS TRAVAILLER.

123

Humour

Pour tous

Aventure et Polar

Adult'

Imprimé par Tipolitografia Canale à Turin
le 15 décembre 1987
Dépôt légal janvier 1988. ISBN 2-277-33054-X
Imprimé en Italie

J'ai lu BD / Éditions J'ai lu
27, rue Cassette 75006 Paris

Diffusion France et étranger : Flammarion